CB022764

estranherismo

ESTRANHERISMO

— Zack Magiezi.

Bertrand Brasil
Rio de Janeiro / 11ª edição / 2023

Capa e projeto gráfico: Angelo Allevato Bottino
Ilustração de capa: concepção de Mirna Garcia e desenho de Dany WR
Foto do autor: Diego Marcos

Texto revisado segundo o novo
Acordo Ortográfico da Língua Portuguesa.

2023
Impresso no Brasil
Printed in Brazil

CIP-BRASIL. CATALOGAÇÃO NA PUBLICAÇÃO
SINDICATO NACIONAL DOS EDITORES DE LIVROS, RJ

Magiezi, Zack
M174e Estranherismo / Zack Magiezi. — 11. ed. —
Rio de Janeiro: Bertrand Brasil, 2023.

ISBN 978-85-286-2057-3

1. Poesia brasileira. I. Título.

16-29847 CDD: 869.91
CDU: 821.134.3(81)-1

Todos os direitos reservados pela:

EDITORA BERTRAND BRASIL LTDA.

Rua Argentina 171 - 3º andar - São Cristóvão
20921-380 - Rio de Janeiro, RJ
Tel.: (0xx21) 2585-2000

Atendimento e venda direta ao leitor:
sac@record.com.br

leve amor
não pesa

semântica

quando digo:
quer casar comigo
quero dizer
se eu virar casa
você mora em mim?

sentimentos legendados

borboletas
esperam em casulos
inclusive
as que voam no estômago

lembretes do existir

faça amor nu
quando for fazer amor
faça nu
tire os diplomas
o status
o sucesso profissional
as suas etiquetas de grife
tire as chaves do seu carro
os cartões de crédito
tire tudo
até sobrar a deliciosa
e apimentada
humanidade

lembretes do existir

joão amava teresa que curtia todas
as fotos de raimundo
que acompanhava todos os posts de maria
que amava conversar no whatsapp com joaquim
que achava perfeita a vida virtual de lili
que na verdade era uma solitária
joão foi para os estados unidos
teresa deletou a sua conta
raimundo criou um perfil fake
para continuar seguidor
maria foi bloqueada
joaquim se sentiu invisível
e lili parou de falsificar felicidade
que às vezes se encontra no mundo real

glossário

beijo
falar de amor
da boca pra dentro

glossário

dispensar
abrir mão de pensar tanto
e sentir

diálogo

- adoro olhar a sua boca enquanto você fala
- ?
- parece que toda palavra é feita de beijo

glossário

apreço
impossibilidade
de colocar preço

lembretes do existir

meu amor não depende
do seu sim
ou do seu não
da sua presença
ou da sua ausência
da tua voz
ou do teu silêncio
aprendi que o meu amor é
existe
e não insiste
não é um habito
ele habita

3x4

não tenho belos olhos
ou o físico ideal
não tenho uma carreira
não sou poeta
eu uso palavras erradas
eu tropeço quando estou prestes a te alcançar
frequentemente eu desisto das coisas
tenho medo
tenho um coração fraturado e imaginativo
sei que não sou a melhor opção
mas ofereço o imperfeito
o amor mais humano
e, sobretudo, me ofereço por inteiro
honestamente seu

causa mortis

dores reais
dos amores imaginários

diálogo

- você já morou só?
- sim
- onde?
- em algumas histórias de amor

classificados

amor próprio
espaço
para
há lugar

relicários miúdos

no meu coração
fique à vontade
e só
fique por vontade

para o amor que vai chegar

meu amor
fico pensando no medo
você tem medo?
medo de tentar de novo
medo de se expor
talvez você olhe as suas cicatrizes
em algum empoeirado espelho feito de tempo
talvez algum instituto mostre
um aumento populacional
dos seus medos
que se reproduzem sem parar
e crescem na sombra da sua solidão
feito fungo que se alimenta do seu sonhar
da sua luz e do seu calor
talvez seja necessário um momento insano
um rompimento
tirar as algemas de todos os gritos
incendiar as suas ruínas
essa queima é permitida
para um novo plantio
e o velho nero irá sorrir

PS: Qual o motivo para os seus sonhos
ficarem nos cabides?

para o amor que vai chegar

meu amor
não nos conhecemos ainda
não sei onde você anda
talvez o seu coração esteja vazando
talvez você esteja escondida
no cantinho de algum quarto dentro de si
eu não sei
mas desejo que tudo isso passe
quero lhe dizer que comecei a plantar flores
espero que elas estejam bonitas
quando você chegar
quero lhe dizer que tenho me esforçado
para ser alguém melhor
minha alma já perdeu peso e está leve
quero lhe dizer que aqui dentro existe
um pôr do sol bonito
e a minha noite é cheirosa
quando você chegar o relógio irá tirar férias
(ele sempre reclama do cansaço)
meu amor eu sei que vou te reconhecer
quando te olhar
e quando os nossos olhos se encontrarem
o guarda de trânsito vai apitar e dizer: "é ela"
enquanto isso eu vou esperar
espero que você chegue logo

PS: Amo passar roupas.

pensamentos no varal

se envolver com alguém
somente pela aparência
é ter uma casa
e escolher morar em frente
na fachada

pensamentos no varal

para a alma
não ficar sedentária
corra riscos

3x4

eu me embriago de vazios ou exageros
tenho teses sobre a minha tristeza e alegrias
sem nenhuma explicação
sou por inteiro
uma entrega veloz
uma intensidade dentro desse mundo cheio
de dedos
sou uma única intenção em um mundo cheio
de segundas
não sou equilíbrio, não me interesso por ele
sou um caos suave assim como o amor ou o nada

lembretes do existir

cansou de esconder as feridas
andou por aí exibindo cicatrizes
o dom de sobreviver às pequenas tragédias
aos desmoronamentos das certezas interiores
apesar de tudo
e por pura teimosia
a vida insiste acontecer

3x4

amor é delicado
eu sou desastrado

relicários miúdos

soube que era amor
quando vi o silêncio
coçando a cabeça
tentando adivinhar
a conversa dos nossos olhos

pensamentos no varal

sentimentos
têm direito
ao habeas corpus

pensamentos no varal

querido papai noel
traga amor sem embalagem
as pessoas tendem a confundir

para o amor que vai chegar

meu amor
às vezes a ansiedade
vem me visitar
e por incrível que pareça
ela tem voz mansa
e adora tomar chá de camomila
e fica dizendo:
"— tenho que me manter serena"
e simplesmente esquece
a hora de ir embora
e eu fico dando indiretas
quando enfim
a porta se fecha
eu me sento e penso
não quero fazer nada
desde que você esteja junto
não quero movimentos bruscos
quero que a vida passe em câmera lenta
quero sentir as rugas rasgando meu rosto
e quando eu chorar terei rios em minha face
para regar a alma
e a minha flora exótica
quando as janelas do meu rosto
forem abertas
você estará lá

›››

>>>

humana e sagrada
e eu abro mão de qualquer outro prazer
quero que segure minhas mãos trêmulas de amor
e vamos sorrir com o caminho que trilhamos
até o fim

PS: Você gosta de deitar com as pernas
para cima?

amor é mar
não me contento
em molhar os pés

pensamentos no varal

coloque as dores e tristezas
nas prateleiras mais altas
para dificultar o acesso
e facilitar o esquecimento

instruções para dizer eu te amo

gosto dos seus ombros atrapalhados
gosto da maneira que seu nariz mexe
quando você sorri
(ele dança quando você gargalha)
gosto das suas mãos inquietas
gosto da selvageria dos seus olhos
gosto dos seus sumiços
gosto do seu desespero que anseia pelo encontro
gosto dos seus porres solitários
gosto dos palavrões bailarinos que saem
dos seus delicados lábios
gosto do seu tênis surrado
gosto do seu quadril deslizante
gosto do seu coração fraturado
gosto da maneira que você coloca
todas as esperanças no hoje
gosto do soluço e do seu choro
que às vezes parece sorriso
gosto quando fica desorientada
e senta em qualquer lugar
gosto quando foge de uma conversa
para olhar um detalhe qualquer
gosto de pensar que esse escrito não tem fim
é tanto gostar

instruções para dizer eu te amo

antes de soltar pelo ar essas
palavras dente-de-leão
verifique se em seu interior existe uma
urgência perfumada
certifique se as cordas vocais
dos seus gestos estão afinadas
não fale em eternidade
pois assim você pode esquecer que o amor
é diário
deixe a sua íris limpa e a alma imperfeita
se tiver dúvidas não tire essa palavra
do casulo da sua alma
pois pode prejudicar a formação das asas
e os voos futuros

more no seu amor próprio
pois é complicado morar de aluguel
em corações alheios

causa mortis

traumatismo craniano
fruto de um mergulho profundo
em uma pessoa rasa

diálogo

- qual é o seu instrumento musical favorito?
- a pele

notícias

aumentou o nº de pessoas
que pagam fiança
para um amor bandido

para o amor que vai chegar

meu amor
eu penso na origem desse sentimento
no dia em que eu acordei e me senti diferente
e não consigo recordar
não consigo determinar o dia
em que tudo começou
quando busco em minha mente
esse amor sempre esteve lá
você sempre esteve lá
com esse seu jeito atrapalhado
e terrivelmente charmoso
acho que o amor é isso
é uma eternidade
feito sol que nasce em nós
sou ansioso
apesar de saber que o amor é eterno
e por isso não terá fim
mas sou só uma pessoa
com o coração inquieto e tagarela
por isso procuro tocar seu rosto nas músicas
e me dói saber que posso ter passado
por você
e não ter notado o nosso futuro
que tenho certeza que ele mora em seus olhos
o amor dói eu sei

›››

›››

ousadia minha carregar esse
                                        gigantesco sentimento
dentro desse miúdo peito
a dor é provocada quando ele se movimenta
dentro de mim
nessa busca por ti
por isso te espero
precisamos dar mais conforto
para esse amor

PS: Te procuro nas filas dos supermercados.
(Sei que acontecerá um alinhamento cósmico,
por isso carrego a certeza de que
no seu carrinho eu encontrarei beterrabas.)

semântica

quando eu digo:
vou te mudar
quero dizer
quero ter uma muda sua
e plantar em mim

pensamentos no varal

lavo a alma
coloco no varal
para a tristeza secar

instruções para dizer eu te amo

depois de tantos anos
ainda estamos naquele primeiro dia
naquele primeiro toque das mãos
no primeiro sorriso dos olhos
no primeiro inverno na barriga
e sentir a leveza
depois que as bocas conversaram juntas
pela primeira vez
vamos rir das pessoas que duvidam
da eternidade das coisas
nós dois derrubamos a ditadura do tempo

3x4

prezo muito pelo meu direito de errar
quero sentir a dor das coisas
irei repetir meus erros se eu quiser
e quantas vezes eu quiser
sou um ser que age como se tudo fosse
a primeira vez
me deslumbro com as miudezas
me perdoe mas não tenho o talento para ser
o maduro
o exemplo e o experiente
ando entre catástrofes e glórias
gosto do outono
de café bem doce e ralo
de moças com os cabelos curtos
que usam batons sangrentos e coturnos
não cuide da minha vida
pois eu a deixo no seu estado de selvagem

semântica

triste é viver
mais de touch
do que de toque

pensamentos no varal

pode entrar
no meu coração
só não repare
a bagunça

relicários miúdos

na infância
eram os cadarços
hoje as esperanças
me fazem tropeçar

chovi amor
em pessoas
que preferem telhados

para o amor que vai chegar

existem dias em que você irá se sentir
pequena demais
pequena que carrega gritos gigantes
dentro do seu silêncio
tenha calma,
tenha calma e corra para o seu
pequeno refúgio,
aquele quarto dentro de si mesma
esse pequeno lugar de ser nada,
onde você pode desaparecer um pouco
tenho momentos assim
espero estar um dia nesse teu quarto
de ser nada, onde as palavras
estão nos cabides
espero te deitar nessa cama não para
fazermos amor,
mas sim para aprender a fazer silêncio contigo,
respeitar teus medos e colocar no rádio
uma música de cafuné

PS: Qual objeto da infância ainda
está contigo?

para o amor que vai chegar

hoje é sexta-feira
ando cada dia mais caseiro
daquele que não sai de si próprio
vendo o mundo por uma grande janela
internado em meu interior
ando cada dia mais nas pequenas coisas
olhando as pessoas, o café e as gotas
a solidão faz com que a gente vire
um detalhista
eu acho que devo viver uma solidão
antes do nosso amor
pois saberei ver os detalhes dos gestos
de amor
que são sempre tão silenciosos
sei que preciso me ler mais
saber sobre esses infinitos aqui de dentro
colocar os medos obesos em forma
estou quase pronto
colocando o melhor traje em minha alma
espero que você sinta o meu perfume
a fragrância de quem eu sou
e deseje ficar
e me fale sobre a sua solidão

PS: Suas palavras enxergam mal e tropeçam
umas nas outras?

3x4

não tenho obrigação de ser feliz
faço por prazer

relicários miúdos

até as nossas mãos dadas
faziam amor em público

sobre as coisas de dentro

chegou o tempo de ficar um pouco em mim
trancar as portas
trocar os sentimentos de lugar
ler umas páginas sobre mim
e escrever outras
descartar algumas paixões que não me
vestem mais
tomar uma xícara de café com o meu amanhã

sobre as coisas de dentro

se o amor é um lugar
vou me naturalizar
aprender a cultura e os costumes
o idioma e o sotaque
quero descobrir e mapear a geografia
ter uma casinha simples
um quintal com um balanço
e descansar

causa mortis

intoxicação
ingeriu por tempo prolongado
amores que passaram do prazo de validade

diálogo

- quero um meio amor
- não gosto de nada pela metade
- meio amor, sem começo e sem fim

relicários miúdos

proposta
quer casar comigo
te prometo
café
corpo
e alma
na cama

proposta:
caso
não tenha
casa
eu
caso
viro
casa
e você
mora em mim?

instruções para dizer eu te amo

meu amor vamos fazer febre?
vamos suar escutando nossos loucos movimentos
vamos fazer sede com as nossas salivas
vamos encaixar a nossa solidão
vamos fazer a pele da alma ficar arrepiada
vamos fazer sons altos até acordar
a nossa humanidade
vamos queimar os papéis as pastas e as roupas
vamos para o trânsito com a nossa cama em brasa
pois o nosso amor é um ato revolucionário

sobre as coisas de dentro

tenho essas palavras desastradas e distraídas
que perdem o amor que acabou de passar
mas se conformam e voltam para esperar o próximo
quando ficam nervosas, começam a gaguejar
minhas palavras ficam olhando de longe
ficam vendo tantas outras palavras
sendo abraçadas e amadas
elas ensaiam tanto
mas acabam ficando nos bastidores
esperando um olhar atento
a cada dia elas ficam mais caseiras
mais em mim
lendo e imaginando histórias,
momentos e singelas felicidades
às vezes elas criam coragem
e com o peito arfando
elas correm para fora de mim
mas elas não enxergam bem
e tropeçam
ralam as vogais e fraturam as consoantes
e voltam cabisbaixas
para o meu peito
tristes e sem esperança
é triste a sina das palavras
que esperam

semântica

meu coração tem mania
de usar a vírgula
quando o coração pede
ponto final

diálogo

- eu te entendo
- me explique

diálogo

- você conserta meu coração?
- concerto
(desde então tudo virou música)

diálogo

- o que você tem?
- uma tristeza que não cabe em mim
- se não cabe deixe fora

desde que
a minha vida
saiu dos trilhos
eu sinto
que posso ir
a qualquer lugar

NOTAS SOBRE ELA

notas sobre ela

no mundo
onde os amores são mudos
ela é o grito

notas sobre ela

de frente para o espelho
ela abotoa a sua loucura
calça atrevimento
se perfuma com vontades indomáveis
e vai amar

notas sobre ela

ela detesta réplicas
sentimentos só os originais

notas sobre ela

ela quer um amor simples
feito café da manhã
sem a obrigação da perfeição
confortável feito pijama
com toda humanidade de quem acorda
que tenha fome de amar
antes que a rotina comece

notas sobre ela

ela não queria galãs ou amores de cinema,
só queria um amor tão certo quanto o café
da manhã
que ela bebia todos os dias ao acordar

notas sobre ela

ela é uma inteireza
nunca soube ser metade de nada
sente tudo com toda a intensidade com que
tudo deve ser sentido
ela gosta disso e odeia
sem reserva
ela reserva toda sua vida para viver
um único momento
morte e ressurreição diárias
ela trata a vida de um jeito sagrado
assim como a voz da elis
rompendo o vinil e escorrendo por toda a casa

notas sobre ela

ela já fugiu
só para ser encontrada

notas sobre ela

ela por escolha própria escolheu viver
em outra época
hábitos antigos
sebos e histórias
apegos e palavras perfumadas
sentimentos artesanais
desprezava os sentimentos industriais
e seu mercado
sorria ao ver as belezas dos detalhes
foi livre dos padrões das capas de revistas
colocou sua cama perto da essência das coisas
pois a pressa vive com os bolsos furados
perdendo momentos

notas sobre ela

seu plano de vida
evitar lugares em que ela não poderia amar
evitar sentimentos mornos e dias sem sabor
tricotar boas lembranças
comparecer por inteiro a todos os seus momentos
não enjaular as palavras
não domesticar o coração
andar embriagada de vida

notas sobre ela

ela é extremamente caseira
incompreendidamente caseira
dessas que sentem a necessidade
de ficar a sós com a sua própria alma
colocar o papo em dia
provar novos discos e livros
enquanto as pessoas alimentam a máquina
do mundo lá fora
ela era assim
estava empenhada em se conhecer antes
de se apresentar ao mundo

notas sobre ela

ela sabe que um dia
pode perder as chaves do seu próprio coração
por isso ela deixa cópia com os seus amigos

notas sobre ela

ela é a casa dos exageros
as intensidades estão tatuadas na sua essência
no mar da sua alma acontecem
tempestades perigosas
belas e insanas
relâmpagos apaixonados ferem e iluminam tudo
ela já tentou não se importar, não se apegar,
mas ela é feita de entregas
e sabendo quem é
foi fiel a si mesma

notas sobre ela

ela me disse
não me prometa um futuro
uma velhice a dois
não diga que eu sou a mulher da sua vida
e que o nosso amor vai ser para sempre
o que eu quero de você é bem simples
esteja presente com todo o seu ser
em todos os nossos momentos

notas sobre ela

ela fecha os olhos quando beija
pois tem medo de altura

notas sobre ela

ela sabe que tudo que é belo não é visto
pelos olhos
e sim pela alma
ela detesta padrões que na verdade são
uma forma de domesticação
escolheu ser quem ela é
escolheu assumir seus medos
e ser sincera com os seus sentimentos
amar sem segredo
vai seguir o seu caminho
mesmo que ele seja um pouco solitário
carregando pela vida tudo que ela
escolheu carregar
sem pressa

notas sobre ela

ela é como uma tela de van gogh
tem uma bela harmonia composta
de detalhes caóticos

notas sobre ela

por alguma razão inexplicável
e apesar de todos os cacos de vidro
o coração dela ainda prefere andar descalço
pela vida

notas sobre ela

ela sabe que a vida é um passeio e não
um desfile
por isso ela escolhe a beleza
do andar descalço
e não o salto alto desconfortável
chamado perfeição

notas sobre ela

ela coleciona atrevimentos
anda pela vida vestida de liberdade
e choca as pessoas cheias de pudor
que não ousam ser as donas do seu
próprio destino

notas sobre ela

ela não se sente só
talvez ela sinta um prazer imenso
em estar com a sua própria companhia

notas sobre ela

ela é atraída por gente labirinto
essa gente enigma
ela tem essa forma de amor que é um exagero
pelo desconhecido

notas sobre ela

ela é uma força da natureza
feita para ser admirada ou temida
e não pode ser explicada, somente sentida

notas sobre ela

ela tem a necessidade de movimento,
o mundo é grande
e desde cedo ela aprendeu que a vida é curta
por isso a urgência
por isso ela tem urgência
por isso ela não se demora onde existe dor
feito um girassol
ela vai em direção à luz
buscando o calor da vida

notas sobre ela

não se iluda
o que ela mais gosta de fazer
é ficar dentro de si mesma
com um moletom e meias
ela gosta de um café quente e bons livros
horas e horas nos parques e jardins de dentro
vive para viver
para admirar a vida
e cheirar as cores
ela sabe que a vida é uma grande artista
e ela aplaude de pé na primeira fila

3.

notas sobre ela

ela é repleta de esperança
ao mesmo tempo ela sabe que tudo que ela
precisa está no hoje
ela nunca entendeu tanta gente desperdiçando
o hoje pensando em um amanhã
por que tanta espera?
ela sabe que é importante construir um futuro,
mas também é lindo construir
um passado bonito
por isso ela fica na grandeza do hoje
por isso ela nasce no hoje e renasce no amanhã
é como se ela tivesse pequenas vidas de 24 horas

notas sobre ela

ela irá fazer de novo
apesar dessa tristeza miúda e de a sua
esperança estar desnutrida, mas viva!
talvez ela fique um tempo sozinha
tirando a poeira dos velhos sonhos
e costurando o coração rasgado
ela voltará perfumada de recomeço
cantando aquela canção sagrada de jobim
carregando esse coração teimoso de amor
que comete os mesmos erros
como se fosse a primeira vez

notas sobre ela

ela não é exagerada
dizer isso seria diminuí-la
ela apenas tem a mania de sentir
tudo infinitamente

notas sobre ela

um dia ela perdeu a timidez
e resolveu conhecer melhor a amiga
que mora no espelho

notas sobre ela

ela aprendeu o segredo sobre o seu amor
antes de ele ser bom para o mundo ele deve
ser bom para ela

notas sobre ela

essa moça girassol
vive tirando o sol para dançar

notas sobre ela

ela sempre foi uma pessoa que não se encaixa
pois nunca foi parte e nem peça
é dessas inteiras e sem padrão
e justamente por não ter padrão ela só tem
uma opção
ser apenas quem ela é sem nenhum tipo
de perfeição
tarefa difícil que pode levar uma vida inteira
descobrir na imperfeição a vida perfeita

notas sobre ela

no coração dela não existe plano b
nem segundas intenções, tampouco máscaras,
nada é mais leve do que a simplicidade
de um rosto honesto

notas sobre ela

ela tem essas tatuagens por fora
letras, traços e memórias
que ela escolheu gravar para sempre
ela tem essas tatuagens por dentro
amores, paixões e intensidades
que a vida escolheu para ela
arte por dentro e por fora

notas sobre ela

ela é adepta daquela dieta
não sofre pelos amores do passado
tempera as coisas que chegaram ao fim
com gratidão
tudo por um coração saudável

notas sobre ela

ela adora viajar
e adora ficar sozinha
pelo mesmo motivo
ama lugares novos
lugares novos no mundo
e lugares novos dentro de si

notas sobre ela

ela é caetano e tiago iorc
ela é salto alto e all-star
ela revela fotos para poder tocar
e lê livros no tablet
usa vestidos delicados e tatuagens marcantes
ela é urbana e camponesa
ela ri alto e é tímida
ela é elegância e tropeço
ela é desapego e romantismo
ela é uma menina que se diverte como mulher
veja bem, não são contradições
é só imprevisibilidade

notas sobre ela

ela tem sorrisos largos e choros curtos
ela vai amar de novo
mesmo com o coração carregando tantas dores
ela ousa a desafiar as tempestades da vida
perfumada com fragilidade
ela não fecha as janelas do coração quando
o vendaval de sentimentos chega
e assim ela é invadida pelo sentir
relâmpagos, trovões e chuva
mesmo correndo risco ela quer sentir algo
o hoje é para ela a melhor filosofia de vida

notas sobre ela

ela tem essa alma que prioriza a vida
abre as janelas pela manhã
para abrigar o sol que chegou trazendo
um recomeço de presente
ela toma a sua xícara de café, mas antes
coloca chico que sabe conversar
com o seu coração
lava bem a alma para as dores irem embora
quem diz que a paixão acaba não conhece
essa menina apaixonada pela vida

notas sobre ela

ela é um lugar
que será sempre dela

(PS: ela ama visitas)

notas sobre ela

um dia ela se despiu
e sua alma gritou ao mundo
e os que escutaram me disseram que era
som selvagem em liberdade
e ela agradou a alguns e desagradou
a outros tantos
ela já não se importava
foi fiel ao ato de amar-se
e foi livre da opinião alheia

notas sobre ela

nela todo sentimento é selvagem, puro,
eterno e intenso
sempre disse não a qualquer tipo
de domesticação de si mesma
prefere sentir as dores do que
enjaular o coração

notas sobre ela

sua alma cresce
assim ela alcança novos lugares
e novas tormentas
abrigando dentro do peito um sol
sabe onde plantou as suas raízes
por isso seus galhos podem se arriscar
nessa viagem chamada vida

notas sobre ela

quando ela se tranca dentro do seu
próprio coração é para mudar
mudar as prioridades de lugar
tirar a poeira dos sonhos
jogar fora aqueles sentimentos que já
não servem mais
redecorar o próprio coração
para amar a si
para acolher a si

notas sobre ela

a culpa não é dela
mas os sentimentos que moram dentro
do coração dela
encontraram espaço suficiente para
serem infinitos

notas sobre ela

hoje é sexta-feira e a festa é ficar em si,
sem as luzes coloridas que piscam,
sem as garrafas de vidro verde que brindam
hoje ela só quer a serenidade de dentro,
a embriaguez do autoconhecimento,
ela ama festas repletas de pessoas,
mas também ama estar com todas
as pessoas que ela é
necessidade de momentos solitários,
mesmo que as pessoas não entendam,
mesmo que sejam em uma sexta-feira

notas sobre ela

ela pinta os lábios de vermelho
pois quer beijar o pescoço da vida
e deixar uma marca de afeto
ela pinta os lábios de vermelho
para beijar a si mesma e deixar uma marca
de amor próprio
ela pinta os lábios de vermelho
pelo orgulho de ser mulher e mostrar
a feminilidade de sua força indomável
ela pinta os lábios de vermelho
quando a alma dói e o choro vem roubar
um beijo

notas sobre ela

ela corre atrás dos seus sonhos
e sabe parar para ser alcançada pelo amor

notas sobre ela

ela só quer conquistar um dia bem vivido
ela sempre foi contra o desperdício de vida

notas sobre ela

ela é um rosto exposto em pleno baile
de máscaras

notas sobre ela

ela aprendeu a não precisar de todas
as respostas sobre todas as coisas
que acontecem com ela
aprendeu a respeitar os enigmas
que moram dentro dela
não saber tudo para poder sentir tudo

notas sobre ela

ela é jazz
suave, envolvente e improviso
ela é blues
forte, intensa e sentimental
ela é samba
solar, alegre e risonha
ela é a música que a vida assobia

notas sobre ela

por não encontrar lugar no mundo
ela resolveu morar em si
descobriu um mundo sem fim

notas sobre ela

ela ainda acredita e irá tentar novamente
novos sonhos irão nascer e até a tristeza
irá sorrir
não adianta ditarem as regras do impossível
ela tem espaço para mais alegrias
é difícil parar alguém que desde cedo
sabe qual é a sua missão nesta terra

notas sobre ela

ela ama fotografia
pois ela gosta de paralisar o tempo
para ela o amor é a vida fotografando a gente

notas sobre ela

ela ama com a urgência dos sem amanhã

notas sobre ela

ela aprendeu sobre a sua liberdade
quando descobriu quais eram as suas prisões

notas sobre ela

ela segue uma religião chamada recomeço

notas sobre ela

ela ama gente
que está fora das medidas ideais
gente infinita

notas sobre ela

ela
tem um
riso frouxo
que ama um abraço apertado

notas sobre ela

ela aprendeu que o verdadeiro amor
é liberdade
de ser quem ela é
(sozinha ou acompanhada)

notas sobre ela

o coração dela é elis regina
sente tudo na ferida viva do seu coração
sua alma é cássia que ganhou de deus
alguma malandragem
e aprendeu que tudo passa e que as manhãs
se perfumam de recomeço
por isso ela é movida a música

notas sobre ela

ela sempre foi assim
mesmo que as pessoas não a entendam
ela só consegue se apaixonar
e de uma maneira intensa
por uma pessoa capaz de mantê-la
em uma conversa durante horas
ela não tem condicionamento físico
para superficialidade

notas sobre ela

ela luta para realizar os seus sonhos
ela luta para assegurar a sua
própria liberdade
ela luta contra o cinza que quer ocupar
toda rotina
mas por amor ela não luta
afinal, quando um não quer dois não amam

notas sobre ela

ela estava condenada a ser livre, pela lei
do amor

notas sobre ela

o tempo passou
metas foram alcançadas
o coração já foi reconstruído inúmeras vezes
a mulher brotou e cresceu
os olhos ficaram intactos
ela ainda sabe olhar tudo com olhos de criança
olhos que se deslumbram com os detalhes
da vida

notas sobre ela

apesar da fome ela se recusa
a provar de um amor sem sabor

notas sobre ela

ela deixa a sua essência do lado de fora
veja o girassol que mora em seu coração
as lentes de poesia que estão nos seus óculos
os medos trapezistas
e as dores que andam em sua noite
ela não esconde nada
às vezes ela é ferida aberta
em outras ela é sorriso aberto
mas nunca está fechada para a vida

notas sobre ela

ela prefere não ter teto do que morar
de favor em um coração

notas sobre ela

depois que ela aprendeu a abrir mão
das coisas que morreram
essas mesmas mãos ficaram livres
para tocar a vida

notas sobre ela

ela ao contrário da maioria
gosta de estar perto das pessoas que ela
não consegue explicar

notas sobre ela

hoje ela vai dançar
vai perfumada de noite
vai carregando umas dores
apesar de tudo
ela irá celebrar a vida
cansar o corpo para renovar a alma
ela não está interessada em flertes rasos
ela está nessa pista para ficar sozinha
com a sua noite
brindar o caos
e assustar as pessoas com a sua liberdade

notas sobre ela

desde pequena
disseram para ela ser amélia
e ela foi...
capitu

notas sobre ela

enquanto alguns escolhem ocasiões especiais
para se vestirem de liberdade
para ela liberdade é pele

notas sobre ela

dizem que ela é cheia de pressa é verdade
não é verdade
ela gosta muito de demorar uma eternidade
em boas conversas
em pessoas incríveis
em sentimentos profundos

notas sobre ela

ela já perdeu tudo e ganhou a liberdade
                                                  do nada
muitas vezes ela ficou sem chão e foi assim
                                        que aprendeu a voar
cansou de jogar conversa fora
agora joga dentro de si as boas palavras
sobreviveu a dias escuros com apenas
                                   a pequena luz de um poema
ela desistiu de insistir e resistir
e renasceu

notas sobre ela

depois de tantas colheitas ruins
ela aprendeu que as sementes de amor
devem ser plantadas nos campos da liberdade

notas sobre ela

ela é uma bailarina
que aprendeu a dançar conforme o caos

notas sobre ela

ela soube que estava no caminho certo
quando escutou
“você enlouqueceu?”

notas sobre ela

ela é atraída pelas pessoas feitas de mar
onde a beleza maior está abaixo da superfície

notas sobre ela

ela nunca foi metade
querendo achar alguém para ser inteira
ela é inteira
pois só os inteiros podem ser um par

notas sobre ela

ela aprendeu que deixar para trás alguns
amores do passado
faz com que a viagem da vida seja mais leve
é pra frente que se ama

notas sobre ela

ela não deve perfeição a ninguém
só deve fidelidade à mulher que ela é

notas sobre ela

desde que ela aprendeu a aceitar o fim
das coisas
as boas lembranças começaram a ser eternas

notas sobre ela

ela tem o sorriso mais teimoso que eu já vi

notas sobre ela

ela aprendeu
foi complicado mas ela aprendeu
que a liberdade também é desistir
de certas coisas

notas sobre ela

ela sempre achou a perfeição monótona
por isso ela ama pessoas
com defeitos interessantes

notas sobre ela

primeiro ela aprendeu a lutar
e depois ela aprendeu que nem tudo vale
a sua luta

notas sobre ela

ela faz questão de conservar as suas origens
observe bem e você notará um sotaque de amor

notas sobre ela

é vaidosa
faz questão
de nunca maquiar
a alma

notas sobre ela

ela tem essa fé inabalável no recomeço
apesar de tudo
ela não leva nenhum pesar
leva o aprendizado
e segue
para um novo dia
para novas histórias
novos livros e músicas
e novas conversas
com o charme
de quem tem cicatrizes na alma
ela não está mais no ontem
foi viver

notas sobre ela

ela está cansada:
das conversas superficiais
das vaidades sem sentido
dos egos obesos e sufocantes
desses amores só de embalagem
de ver sua vida escorrendo entre dias
cinza e festas coloridas
das conversas com pessoas ocas onde ela
escuta apenas a sua própria voz no vazio
ela está cansada de dar satisfações para
as pessoas que querem amarrar nela
as cordas de marionete
as cordas do corpo perfeito
as cordas da roupa certa e da carreira ideal
ela nasceu sob a constelação da liberdade
uivará para a lua
correrá pelos bosques
e não deixará ninguém roubar a sua vida
não mais
basta

sobre as coisas de dentro

amizade
é o amor
entre as almas
o mais perfeito amor
ele está acima das aparências
vence as distâncias
nem o tempo sabe
onde começa uma amizade
e nas verdadeiras
o fim é desnecessário

causa mortis

insuficiência cardíaca
tentou amar com o cérebro

sentimentos legendados

não tente ser plural
antes de aprender a ser singular

pensamentos no varal

felicidade
é um app
para ser usado
off-line

glossário

comodismo
ato de enfiar a vida
em uma cômoda apertada

sentimentos legendados

minha vida
é baseada em
afetos reais

relicários miúdos

acerca
da liberdade do amor
retire
a cerca

3x4

minha perfeição está nos meus
atos imperfeitos
minha ambição é contabilizar estrelas
gosto de falar através do silêncio
e me calar com gritos
tenho sonhos que não me lembro,
mas sou dos amores inesquecíveis
que me fazem acordar
gosto de ficar sozinho com as
multidões que sou
não tente me decifrar eu sou feito
para o sentir

instruções para dizer eu te amo

se fugíssemos
para que a vida nos achasse
e se num daqueles momentos
de coragem insana
resolvêssemos ser os donos
da nossa própria existência
e a segurança de vida
seria apenas as nossas mãos dadas
me olhe demoradamente
veja a vida que incendeia
aqui dentro
não sou convencional
nem o bem-sucedido
estou envelhecendo
não posso perder mais tempo
apenas imaginando amor
venha pequena, vamos ventar por todo canto
vamos ver o sol
vamos sentir as rugas rasgando
o nosso rosto
vamos ignorar o relógio
e fazer um espetáculo
para a vida assistir
coragem
não me deixe só

pensamentos no varal

por não saberem cuidar
as pessoas trocam a
primavera por flores de plástico

sentimentos legendados

amor que é bom nada!
por isso não me afogo em mágoas

notícias

amar dá trabalho
e paga bem

diálogo

- como tem passado?
- tenho adorado ficar no presente

para o amor que vai chegar

meu amor
saiba que não sou perfeito
tenho algumas partes escuras dentro da
minha alma
mas amor é isso
é estar completamente nu
então eu ofereço a minha
imperfeição e meus medos
meu medo do tempo
meu braço torto
e meu coração antigo produzido em 1983
tenho medo de te perder para as lembranças
me angustia pensar que mais um dia se foi
sem eu saber como é a textura da sua pele
e a localização exata das tuas pintas
tenho medo de altura, de voar de avião,
de galinhas e de panelas de pressão
apesar de conviver bem com a solidão
às vezes ela me assusta
chega por trás e grita
e esse grito fica ecoando durante horas
dentro de mim
mas eu espero que esteja bem
lendo um bom livro de garcía márquez
tomando uma carinhosa xícara de café

›››

>>>

e rindo sem saber da minha existência
essa imagem dissipa os meus receios
e espero que um dia tropecemos um no
amor do outro
e teremos os nossos medos

PS: Você gosta de beterrabas?

lembretes do existir

gosto dos solitários
aqueles que sorriem
quando andam pelas ruas vazias
e assobiam a mesma música de sempre
que não precisam se enquadrar
ou engolir à força os sonhos que
não são seus
não precisam usar máscaras variadas
e andam nus sob a luz da lua
o solitário quer amar com certeza
mas também quer o prazer da sua
própria companhia
ter o direito de se fechar quando quiser
feito casa no temporal
não precisa de aplauso
não quer ser lembrado
ou se fazer lembrar
apenas é quem é
às vezes se machuca
por carregar tal espírito errante
se debate contra os seus próprios ossos
desiste
e aceita a sua própria natureza
gaiola de si mesmo
gargalha com seu sorriso de esfinge

>>>

>>>

rodopia com os seus momentos a sós
abraça os livros
beija as músicas
e ama os detalhes
e o som do silêncio fazendo eco no seu ser

sentimentos legendados

amor à primeira vista
o restante parcelado

glossário

presentear
é quando a vida nos dá um hoje novinho

sentimentos legendados

sinto muito
mas quando
sinto é sempre muito

semântica

quando digo:
você me inspira!
quero dizer:
quero passear por ti feito ar

diálogo

- o que você faz da vida?
- boas lembranças

notícias

com base científica eu digo:
o meu amor faz bem
testei em mim antes de oferecer ao mundo

para o amor que vai chegar

meu amor
talvez você queira um clichê
talvez você esteja cansada
dessa badalação toda
das festas intermináveis
do vazio dos corpos e dos copos
que dançam na pista
talvez a sua alma esteja
em período de solidão
mesmo que o seu corpo não esteja
talvez você esteja cansada
dos corpos esculturais
e dos egos caricaturais
talvez as planilhas e as carreiras
te machuquem
talvez e só talvez
você não saiba qual é
o seu lugar no mundo
é clichê eu sei
mas talvez seja aqui
onde as mãos agarram as esperanças
onde sentados em uma grama
ouvimos risinhos de uma garotinha
é clichê eu sei
talvez você seja o meu lugar no mundo

›››

>>>

e eu o seu
amor me parece um bom lugar para um encontro
você não acha?

PS: Você gosta de morder o lábio inferior
quando está pensativa?

instruções para dizer eu te amo

declaração de amor ou confusão
eu te amo
veja bem
o que me encanta em você
não é um detalhe ou outro
é a sua totalidade
você é uma espécie de infinito indivisível
não sei onde você começa
nem onde termina
você é inteira, sem divisões infantis
como alma e corpo
amor e paixão
não sei se as flores que vejo
          na floricultura saíram da sua pele
ou se a música que me assaltou
        naquela esquina é apenas o seu sorriso
é essa absoluta falta de explicação
esse delicioso "não sei"
que digo com uma cara de sujeito bobo (que sou)
eu estou em um suave delírio
uma adorável loucura
amor é aquela bagunça em que achamos tudo
inclusive a nós mesmos

lembretes do existir

abaixo a burocracia para amar
bater na sua porta de madrugada
e te convidar para a festa de um banho
de chuva
deitar na grama e adormecer coberto de céu
escrever poemas com os nossos corpos
acumular só músicas e momentos
gritar palavras e sentimentos sem medo
de parecer fraco
sorrir verdades e não políticas
inundar o amor de loucuras corajosas
fogos no céu
seremos intensos
mesmo que tudo seja breve
mandaremos para o inferno o amor burguês
e burocrático
e todos aqueles na fila para amar
buscando currículos

pensamentos no varal

conselhos amorosos do livro
passe da capa
e devore o conteúdo

pensamentos no varal

eu preparei vasos de reciprocidade
e o amor brotou em um terreno baldio

pensamentos no varal

já fugi
só para ser encontrado

causa mortis

envenenamento
o indivíduo sem perceber
envenenou o hoje e o amanhã
com as dores de ontem

para o amor que vai chegar

meu amor
eu fico pensando em nós
em como será a nossa história
algo bem caseiro
do tipo camiseta e moletom
que a gente usa em casa
com alguns diálogos sobre a vida
ou sobre minha paixão por beterraba
e a sua por canecas
você caetano e eu chico
cócegas inesperadas
silêncios tagarelas
aquela disputa tão gostosa pela coberta
sabe essa eternidade que só cabe em
um detalhe
séries e filmes nos assistindo
os pés dormindo agarrados
e a gente fazendo silêncio (os pés não
gostam de acordar no meio do sono)
parece que eu ouço você reclamando
de como eu sou desastrado
quando mais um copo cair no chão
e depois você sorri com os olhos
você samambaia e eu um cacto
e assim vamos acumulando os dias

>>>

>>>

discos, livros, risadas e uns choros
uma história de apartamento
o amor mais bonito que já aconteceu
e como as melhores histórias de amor
só será lida por nós dois

PS: Nunca troque os seus óculos por lentes.

sobre as coisas de dentro

penso em você
quando ninguém está vendo
vou para um canto
coloco propositalmente
canções para lembrar
e no meu íntimo
acredito que se estivermos
escutando a mesma música
no mesmo momento
algo místico irá acontecer
eu invoco momentos
que deveriam ficar esquecidos
já andei pelas mesmas calçadas
que chamávamos de "nossas"
mesmo tornando
meu caminho
para um novo começo
mais distante
eu abro as cicatrizes
com o furor de quem desembrulha
um presente
um presente que embrulha
tudo aquilo que passou

instruções para dizer eu te amo

eu aceito os clichês
uma casinha
duas crianças
um cão ou um gato
eu aceito o barulho da chaleira
e as paredes rabiscadas
exposição dos pequenos van goghs
aceito o jardinzinho de paz
os móveis antigos
eu aceito a blusa que parece um abraço
aceito o seu sorriso
que escorre pelos olhos
teu silêncio sagrado
a paz da sua alma
quando está apaixonada por um livro
aceito que o tempo tatue nosso rosto
com rugas e felicidade
aceito te olhar
te ver distraída
tão em si
carregando a certeza que o amor
é a coisa mais confortável do mundo
é clichê
eu sei
mas eu aceito de bom grado
todos eles
para tentar fazer uma eternidade

relicários miúdos

eu não sei partir
mesmo depois de o meu coração
ter partido

pensamentos no varal

palavra de amor é casulo
gestos de amor são palavras com asas

relicários miúdos

acredito em amor à primeira vista
na verdade eu acredito que as pessoas
que se amam
já estão se olhando mesmo que ainda
não se conheçam

sentimentos legendados

nunca prometi amor eterno
só um hoje infinito

causa mortis

raquitismo amoroso
culpa de uma dieta
de afetos e amores
pobres em verdade

3x4

não é solidão
é que sou adepto
a passeios longos pela minha alma

para o amor que vai chegar

meu amor
haverá dias escuros
dias em que a tristeza gatuna
entrará sorrateiramente
e eu espero que você escute
o que ela tem para dizer
sobre você
muitas vezes a tristeza
é a professora que ensina sobre as
alegrias verdadeiras
aquieta o coração
eu estarei lá
segurando a sua mão
mesmo que eu não entenda
mesmo não sabendo o que se passa
eu quero que você saiba
que estarei dentro de ti
mesmo quando for garoa serena
ou tempestade violenta
sabendo que a chuva
faz a vida nascer em mim
e que os raios do teu caos
podem me ferir
eu estarei lá como uma criança
deslumbrada e ansiosa por um banho de chuva

>>>

>>>

pois o maior gesto de amor é
permanecer

PS: Você gosta de incenso de maçã verde?

3X4

me apaixono fácil
sou do tipo que imagina uma vida inteira
com uma pessoa que me olha com um
olhar bonito
na fila do pão ou dentro do metrô
não digo adeus
o adeus me cala
e todo meu infinito escoa pelo ralo do tempo
tenho torturantes sonhos simples
às vezes eles me parecem tão distantes
e me pergunto se são realmente simples
tenho bagunças complicadas
coisas e sentimentos que vão se amontoando
em mim
é a solidão de quem passa o tempo
olhando a sua própria bagunça
tenho medo e tenho riso
um medo que está sempre de bom humor
vivo assim, como alguém em um apartamento
vendo o sol de outono indo embora
entre os prédios de uma cidade cinza
com um sorriso sem boca
um peito transparente de amor
onde dois peixinhos dourados
navegam em paz

lembretes do existir

toda mulher é flor e algum desavisado
irá dizer:
"sim, elas são um poço de fragilidade"
não
definitivamente não
as flores persistem
resistem ao frio que afasta a vida
resistem aos duros golpes das tempestades
ao calor que agride
toda flor é uma selvageria
alma exposta em pétala
delicadeza indomada
que perfuma o mundo
por isso eu digo:
toda mulher é flor

sentimentos legendados

não acredito em amor a distância
pois independentemente da geografia
o amor é uma proximidade

causa mortis

múltiplas lesões
o coração não resistiu depois de um
capotamento amoroso
infelizmente só usaram o sinto

sentimentos legendados

não sofro por amores impossíveis
mas sim pelos amores possíveis
que escolheram não acontecer

sentimentos legendados

todas as vezes que amei foi para sempre
meu amor tem mania de infinito

para o amor que vai chegar

meu amor
tenho certeza que o
nosso amor será biblioteca
vou andar pelos seus corredores
pegar os livros
que falam dos seus sonhos, medos e esperanças
tenho uma utopia linda
de tentar conhecer cada canto da sua alma
com esse meu espírito de leitor voraz
mesmo que no fundo eu saiba
que nunca conseguirei saber tudo sobre a sua alma
acho que o amor é isso
é a constatação do infinito que existe no outro
por isso a expressão "perdido de amor"
quem não quer se perder em um infinito?
eu quero
e talvez eu possa desaparecer em um coração
quero me sentar nessa confortável poltrona
de envelhecer
com uma boa xícara de café
e ler as suas páginas pelo resto da minha vida
e celebrar a genialidade dessa escritora
chamada:
vida

PS: Você gosta de consolar desconhecidos
que choram?

para o amor que vai chegar

meu amor
ao acordar eu procuro o teu formato
no lençol amarrotado
gosto de imaginar que você despertou primeiro
pois gosta de bater na porta do dia
para que ele não se atrase
sinto o cheiro de café na cozinha
vejo os primeiros e tímidos raios na janela
antiga
imagino você distraída anotando coisas
lutando contra uma franja insistente
eu bebo o café
e digo que você iria ficar linda de cabelo curto
olívia andando/deslizando
pisando na barra da calça
continua querendo ser artista
pintando as paredes com giz de cera
cotidiano
mas antes da rotina a retina
nosso relógio interior se ajusta
nossos olhos se encontram
para nos lembrar do motivo de esse dia existir
e os olhos sorriem primeiro
escorrendo sorriso por toda a casa

PS: Dentro de você existe uma cadeira de
balanço para a minha velhice?

instruções para dizer eu te amo

ela sonha
ele sorri
ela se entusiasma
ele fecha os olhos

ela fala de vontades
ele tenta tocar nelas
ela gesticula
ele pisca olhos de nervoso

ela é charmosa e natural
ele desastrado e tímido
ela é mais forte do que qualquer cadeia
ele ama as asas que ela tem

ela se machuca por medo de ferir os outros
ele deseja ir para as estrelas
ela se despede com um lenço na mão
ele sonha com um beijo de retorno

ela abre a sua alma de tempestade
ele dança entre raios e trovões
ela sorri arco-íris
ele se declara
um estranho dueto

›››

>>>

cantam canções diferentes em mundos
diferentes, mas se desejam
todo amor nasce cheio de impedimentos
assim como a vida
por isso ambos são sagrados
amém

relicários miúdos

a única solidão que machuca
é quando tocam a campainha do nosso coração
e saem correndo

sentimentos legendados

amor é sentir que uma pessoa tem
um perfume de lar

causa mortis

afogamento
de tanto chorar para dentro

causa mortis

inanição
o indivíduo ficou extremamente fraco
pois só se alimentava de memórias
culpas e arrependimentos
alimentos deficientes em vida

confissões

já matei
alguns sentimentos
mas foi em legítima defesa

tem
gente
que se
mata
cortando
os
impulsos

instruções para dizer eu te amo

o que eu quero da vida?
quero que você use as minhas camisas às vezes
pois elas amam o carinho da sua pele
e isso me fará sorrir por dentro
quero ouvir você falar do seu dia de um modo
bem tagarela e que as palavras
tropecem umas nas outras
quero ter aqueles momentos em que a gente
se olha e os olhos ficam
descascando as palavras
quero que o meu coração grave a sua risada
escandalosa que você dá assistindo
aos filmes do woody allen
o que eu quero da vida?
um bom café e te amar

carta para minha futura filha Olívia

existe maldade nesse mundo
mas há beleza
e para descobrir essa beleza
você não precisa ir longe
apenas pare e contemple
ofereça flores ao mundo
dance, abrace e sorria
também é necessário chorar
jamais use máscaras
seja sincera
com os seus sentimentos
e ganhará a amizade deles
e o respeito da vida
trace a sua rota
leia poemas
coisas materiais
são apenas coisas
olhe nos olhos
converse com a natureza
aprenda com ela
distribua os tesouros da vida
e será rica
e terá paz
de alguém que te espera
e te ama muito
seu pai

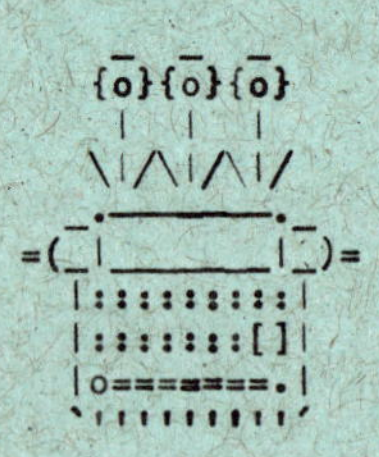

Este livro foi composto na tipografia
FF Trixie e impresso em papel Reciclato 90g/m²
na Plena Print.

— x —